고수

고수

9

문정후·류기운

차례

믿을 수가
없군.

지금까지
우리가 해온 일들을
잊었는가.

너희 무림맹이
눈엣가시로 여겼던
금왕문,

무림 십대고수의
암살과,

천지회
까지…!

네놈들의 사수를 받고
온갖 더러운 일들을
처리해주었거늘,

이제 와서
우리를
배신하겠다고?

너희가 스스로
저지른 짓들을,

콕 콕 콕 콕

다…,
닥쳐라….

감히 누구에게
덮어씌우려 드느냐!

여봐라! 뭣들 하고 있느냐! 속히 이자를 체포하라!

……

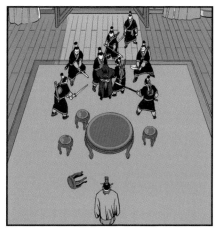

하나만 물어보지.

이 갑작스런 태도 변화가 혹 강룡이란 애송이 때문인가?

무, 무슨 헛소리를….

…역시.

우리를 적으로 돌리는 위험을 감수할 정도로,

놈의 존재가 대단하게 보였단 말이지….

끌고 가라!

저항하면 죽여도 상관없다!

옛!

야수진 엽구팽
(野獸盡 獵狗烹)
이라….

설마 우리가 사냥개 취급을 받을 줄이야….

뭣들 하는 겐가! 빨리 끌고 가라지 않느냐!

예, 옛!

※야수진 엽구팽 : 산에 짐승이 없어지면 사냥개가 솥 속에서 삶아진다.

네놈들의 선택인 만큼,
이 선택에 대한 결과는
네놈들 스스로가
감당해야 할 것이다!

......

쥐새끼들이….

주제를 모르고
스스로 멸망을
자초하는구나!

으득‥

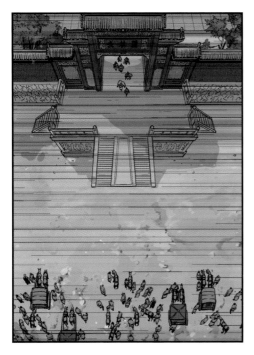

......

그거
안됐군.

하는 수 없지.

좀 더 어울리는
무대가 마련되길
바랐지만…,

상황이 그렇다면
그에 맞게
응해주는 수밖에.

파천문 부활의 기치는
우리 손으로 직접
올리기로 하지.

그 말씀은….

천곡칠살(天谷七殺)을 내보내겠다!

다들 기다리지 못해 뼈마디에 녹이 슬어갈 지경일 테니,

녀석들이라면 오히려 이런 상황을 반길 터.

……!

말괄량이 딸아이 비위 맞추느라 고생이 많으세요, 당 장로.

벼, 별말씀을.

......

......

엄마….

......

자, 돌아가자!

옛!

조만간 무림맹으로부터 공문이 올 것이다.

장문인 방유복

하북 검호각

언제라도 출정할 수 있도록 철저히 준비하라.

옛!

보고드립니다!

전방 협곡에 파천문의 깃발을 세운 괴집단이 출몰했습니다!

!

……

백 명 남짓 되겠군….

지키기만 한다면 10만 대군도 능히 막아낼 수 있는 곳이 이곳 검호각이거늘 저 성도 인원으로 뭘 하겠다는 건가.

놈들의 동태만 감시하고 도발엔 일체 응하지 말라!

대응책이 결정되면 다시 전달하겠다!

옛!!

비켜라,
이놈들아.

벌컥
벌컥

꺼어억

난공불락의
요새지에 위치한
검호각이라….

거한 1명이
단신으로 접근하고
있습니다!
어떻게 할까요?!

얄팍한 도발 따위에 일일히 대응해줄 필요 없다지 않더냐!

각자의 위치를 고수하라!

예, 옛! 알겠습니다!

쿠웅..

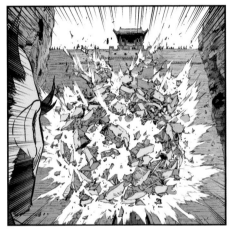

검호각의 장문인
방유복이 누구냐!

그 늙은 목을
가지러 왔다.

천곡칠살
천뢰성 황저

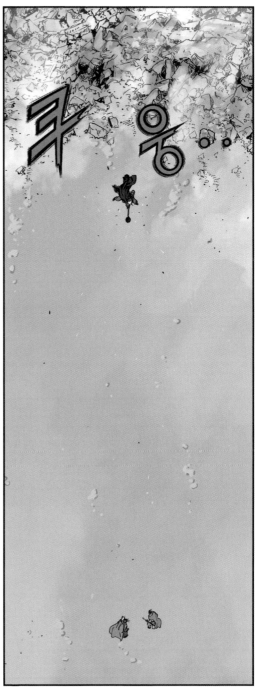

콰

콰

콰

콰

!

부활 파천문

대 무림연맹전
개전

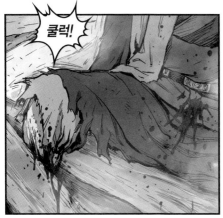

하북 검호각
장문인 방유복

기…고만장
하지 마라,
이놈….

이제… 곧…
무림맹이…,

…천하 무림인들이
네놈들을… 그냥 두지
않을 게다….

거 잘됐군.

쥐구멍으로 숨는 것보다야
기어 나와주는 편이
때려잡기 수월할 테니….

한데…,

내 얼굴을
기억 못하는 건가?

뭐?

하긴…,

그땐 내가 너무 어렸지.

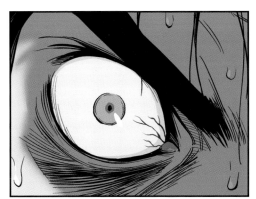

그런….

숨어 있는
쥐새끼들의 처리는
너희들에게 넘겨주지.

춥..

생각했던 만큼
후련한 느낌은
아니군….

우아악

콰우욹..

커억.

푸아악..

카각..

코아악

금라문

파아…

쏴!
쏴라!

34

쿡!

처라!

본당 쪽으로
가기 전에 막앗!

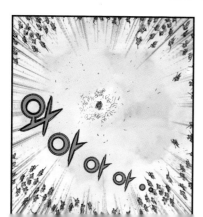

와아아..

쿠·우 와..

후우우‥

천곡칠살
천웅성 두춘

……

이곳을 버리고 어디로 간단 말이냐! 죽어도 여기서 싸우다 죽겠다!

하오나….

문주님, 빨리 이쪽으로….

그만두라!

……

지금은 그런 것을 따질 때가 아닙니다. 어서….

……!

금라문주
엄여

이런….

죽기 전에 내가 누군지 알려줬어야 하는 건데….

팔황검문

…그… 코흘리개가…,

설마 이런 괴물이 될 줄이야….

차라리 그때….

문주 조봉기

천곡칠살
천용성 곽소종

42

호북 사마세가

천곡칠살
천검성 진유림

단천도가

천곡칠살
천맹성 제운강

지요성
무명

회왕문

천곡칠살
천폭성 엽패

벽력당 뇌가

동정
비봉창파

무림맹

무림맹

사마세가가 괴멸?!

!!

예, 옛!

검호각과 금라문에 이어 사마세가까지?

틀림없는 사실이냐!

예.

하면 다른 문파는 어찌되었는가!

계속 알아보고 있는 중입니다!

이런…

……

이…럴 수가….

무림맹주 장백진인 곽염

이렇게 빨리…,

이렇게나 무기력하게….

50

백마곡….

백마곡으로 보낸 전령은 연락이 없는가?

파천신군의 제자는…?

예…. 그쪽은 아무래도 거리가 있기 때문에….

하나, 최대한 서두르라 했으니 오늘 내로는 백마곡에 도착할 수 있을 것입니다.

매, 맹주님,
급보이옵니다!

파천문의
본대가…!

!

!

동요치 말라!

연맹 소속의 문파들이나
백마곡과의 공조가
결정될 때까지
굳게 지키며 농성에 들어간다!

하, 하지만,

지금은 그럴 만한
상황이…

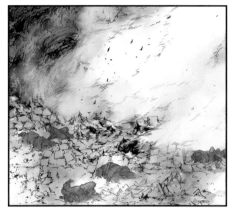

으윽….

큭….

……

과장이
아닙니다….

그분의 무공은
이미 파천신군의 경지를
넘어섰어요.

과거 사천왕 시절의 흑룡왕을 떠올리면 안 될 것입니다.

......,

그런가요.

파천신군을 알고 있는 이들 중,

과연 그 말을 받아들일 수 있는 이가 몇이나 될지....

맹주께선 안 믿으시는 것 같군요.

!

...머지않아 알게 될 것입니다.

오늘 내가 한 말이 무슨 의미였는지.

심장을 오그라들게 만드는
이 흉흉한 기가 정말
인간의 기란 말인가.

내 잘못이다….

파천신군의 제자라는
허깨비에 홀려,

이런 '것'을
적으로
돌려버리다니…!

환사란 놈의
말대로

나의 잘못된 판단이
파멸을 부른 게야.

하나…,
나를 믿고 따라준
이들에겐 죄가 없다.

……
모두들
듣거라.

본좌가 '언질'을 하면
모두 지체 없이 이곳을 빠져나가
후일을 기약하도록 하라.

!

매, 맹주님.

그게 무슨….

흑룡왕께
청하겠소!

이 곽염!
정파 무림 연맹의
맹주로서 귀공과
자웅을 가리고자 하니,

응해주길
바라오ㅡ!

......

받아주지.

됐어!

모두들!

휩쓸리고 싶지 않다면
멀찍이 물러서라!

일격필살.

장백신공
광섬멸절!

이 '한 번'의 공격에
내 모든 것을 걸겠다.

윽!

!!

닿지도
못한 건가….

혼신의 힘을 다한
광섬멸절이….

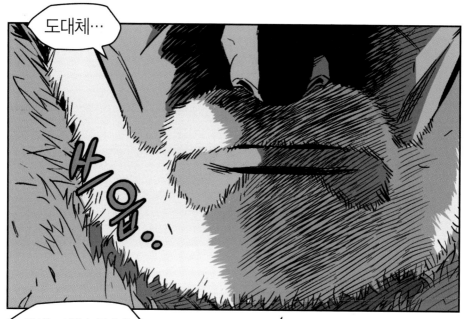
도대체…

환사는 이런 놈들에게
무엇을 기대한 건지….

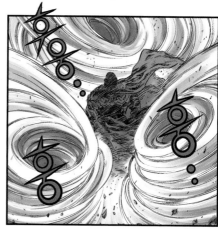

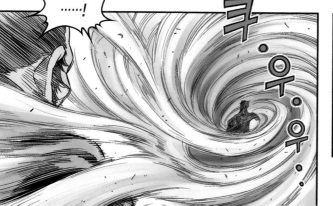

가…

……?

예?

가라고 하지
않았더냐!
아직 거기서
뭣들 하고
있는가!

본좌가 최대한
시간을 끌어보겠다!
그 틈에 어서….

새로운 파천문이
지배할 천하에
너희 같은 돼지들이
존재할 곳은 없다.

가거라.

묵륜마환.

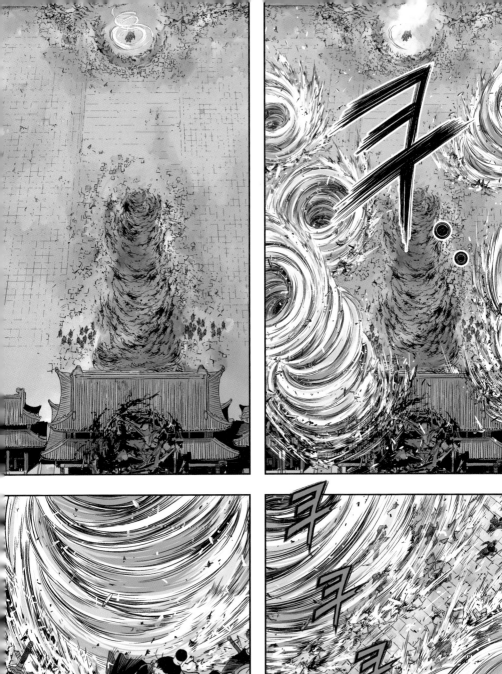

많이 안정됐습니다.
신의께서 오고 계시다 하니
무리하게 치료하기보다
이 상태를 유지하며
그분을 기다리도록 하시죠.

도대체
그 영감탱이는
언제 오는 거야?

노망으로
오락가락한다더니
오다가 또 돌아간 거
아냐?

몸이 이 지경이 되도록
어떻게 연락조차 안 한 거냐,
이 녀석아.

치료가 끝나더라도
돌아가지 말고
여기서 아비랑
사는 게 어떠냐?

생각해볼게요.

그래,
그래.

가령이는 나 혼자 배웅하고 올 테니 누워 있거라.

기왕 왔으니 몇 달 정도 더 쉬었다 가면 좋으련만….

저도 그러고 싶지만 해결해야 할 일들이 있어서요. ^^

혹시라도 이 할아비의 도움이 필요하거든 언제든지 연락하거라.

예…, 그럴게요…. ㅎㅎ….

쿠쿵….

콰장창… 쿠앙!

저거…,
용 할아버지
비명소리
아녜요?

공손 영감한테
받아온 '신단' 먹여서
살려놨더니 허구한 날
부부싸움이구먼….

쯧.. 부

저 인간 눈에 띄기 전에
얼른 가자.

너 가는 거 알면
또 이별주니 뭐니 하면서
안 보내주려 할 게다.

네, 네.

여기서부턴
혼자 갈 수 있어요.

갈게요,
할아버지.

오냐.

허, 허리가…

뿍.

억.

……

네놈 수양딸이
환자가 된 게
내 탓이야?

왜 나한테
성질내고 ㅈㄹ이야.

물컹한 게
똥인 줄 알았더니
니놈이었냐.

79

호오오, 똥이라···.
똥한테 쥐어터져서
피똥 함 싸보고 싶냐?

······.

나이 먹고
부처 보살 다 됐다는
영감탱이가 오늘따라
왜 이리 까질할꼬?

흐음?

할 일 없으면
나한테 치근대지 말고
니 마누라한테 가서
소꿉장난이나 해라.

웬 잡놈들이
딸아이 몸속에
'고'라는 벌레를
집어넣었어.

벌레는 제거했지만
그 후유증 때문에
딸 아이는 아직
정상이 아니고···.

아무리 강호의 도가
땅에 떨어졌기로,
거동조차 불편한 아이의 몸에
독충을 집어넣어 꼭두각시로
부리려 하다니···.

그건…
열받을 만
하군.

그래서…,

감히 천잔왕 구휘의
딸을 건드린 대가로
한바탕 뒤집어엎을
생각이라도 하고 있나?

…….

…이젠 다 지나간 일이야.

벌레 부리던 놈도 죽었고….

이미 끝난 일 때문에 무림의 일에 관여치 않는다는 맹세를 깰 순 없지.

그렇지….

…….

백마곡이 갑자기 붕괴된다거나 손녀딸 신상에 무슨 일이라도 생긴다면 또 모를까….

조장님!

추가 정보입니다!
사태가 훨씬 급박하게
돌아가고 있습니다!

더 이상 기다리고만
있을 수 없는
상황입니다!

차후에 질책을 받는
일이 있더라도
당장 곡주님을 찾아뵙고
보고를 드려야 합니다!

......!

나도 그러고 싶긴 하지만…

조장님!

질책을 받고 안 받고를 떠나 자넨 여길 넘어갈 수 없어.

그걸 보시고도 막겠다는 겁니까?!

제가 강제로라도 뚫고 들어가야 합니까?!

내 말을 못 알아듣는군.

내가 막는다는 게 아니라 우리 능력으로는 이 다리를 건널 수 없다는 말일세.

저 안개는 그냥 안개가 아니야. 진법에 의해 만들어진 결계의 일종이지.

후… 오… 오…

오 오 오

허락받지 않은 이가
함부로 이 다리를 건넜다간
평생 안개의 미로 속을
헤매다 죽을 수도 있어.

!

보기엔 저 건너편도
이곳과 비슷한
풍경일 것 같지만,

막상 건너가보면
불볕 사막이 펼쳐져 있을지
바다가 튀어나올지
모른다는 말이야.

쏴 아 아 아…

두 르 르 …

그러니 안타깝지만
곡주님이 오실 때까지
기다리는 것밖에는,

지금 우리가
할 수 있는 일은
없네.

……
치익…

끼이…

곡주님!

！

음?

내가 여기서
기다리라고 했었나?

우리가 백마곡을 떠난 지 한 달 남짓 지났는데,

이 모든 일들이 그 기간에 벌어진 일이라고?!

그렇습니다.

무림맹의 동맹 제의에 응해준 다음, 천천히 그들의 진의를 파악해볼 생각이었는데.

느닷없이 파천문 부활의 기치를 든 자들이 무림맹을 상대로 선제공격을?

그리고 불과 한 달여 만에 무림맹과 핵심 문파들을 괴멸시키다니….

그토록 막강한 힘이 있음에도 지금까지 잘도 드러내지 않고 숨어 있었군.

상황은 지금도 계속 진행 중입니다.

중도 문파나 사파 중에서도 자신들에게 귀의할 뜻을 밝히지 않는 조직을 대상으로…

잠깐!

핵심 문파들은 아니지만 무림맹에 소속돼 있는 정파 조직들을 닥치는 대로 쓸어버리고 있고,

하면, 백마곡은 지금 어떤가?!

…아직까진 직접적인 접촉이나 도발은 없는 듯 합니다만…

그러나 분명 어떤 형태로든 시작될 거야.

무림맹과의 동맹 사실을 모른다 하더라도 막사평의 죽음과 관련돼 있는 만큼,

절대 그냥 넘어갈 리가 없어!

속하의 생각도 그렇습니다.

당장 돌아간다!

그전에 전서구를 날려 모두 백마곡을 버리고 잠적한 뒤, 묘각산으로 재집결하라고 일러!

!

백마곡을 버립니까?!

......

지금은 놈들의 기세가 너무 강해 맞서기보다는 물러설 때야!

여기서 백마곡까지 얼마나 걸릴까?

밤낮없이 말을 달린다 해도 열흘은 잡아야 합니다!

출발! 최대한 서둘러 복귀한다!

......

멈춰라ー!

여긴
출입금지 구역이다!
돌아가라!

……

90

여기…
백마곡 입구 아닌가?

…….

청부 의뢰를 위해
찾아왔다면
뒤쪽의 바위산
좌측을 돌아가라.

청부 의뢰라….

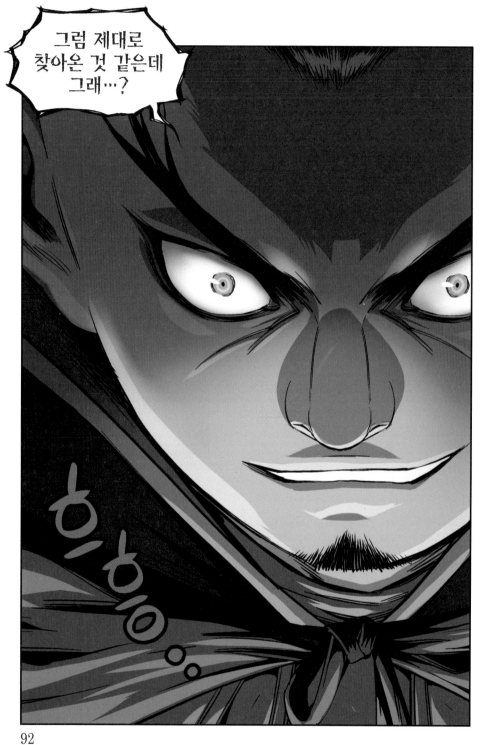

106화

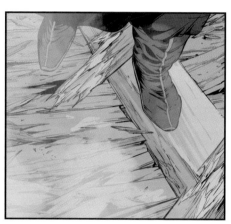

......

뭐냐,
이거….

쥐새끼 한 마리
안 보이네?

조금 전에
떠들던 놈들은
다 어디 갔어?

……

다시 한번
경고한다.

더 이상
백마곡으로의 접근은
불허한다.

살아서 지옥을
보고 싶지 않은 자라면
즉시 돌아가라.

중원 제일의
살수 집단
백마곡이라…

킥…

생각보다
재밌는 놈들
같은데그래?

그보다…
저 건너편 쪽이
백마곡 같은데.

나는
상관없지만,

너희들,
배도 없이
건너갈 수 있겠어?

큭
큭..

난 뭐,
백마곡이 어떤 놈들인지
궁금해서 따라와본 것
뿐이지만⋯.

비켜봐!

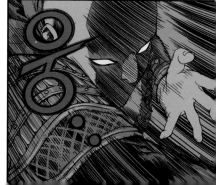

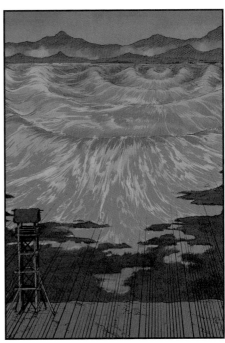

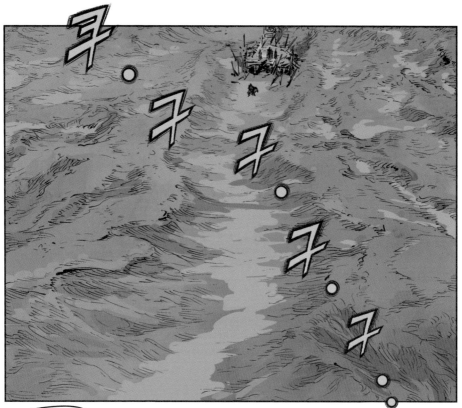

자,
가자고.

…….

와우..

101

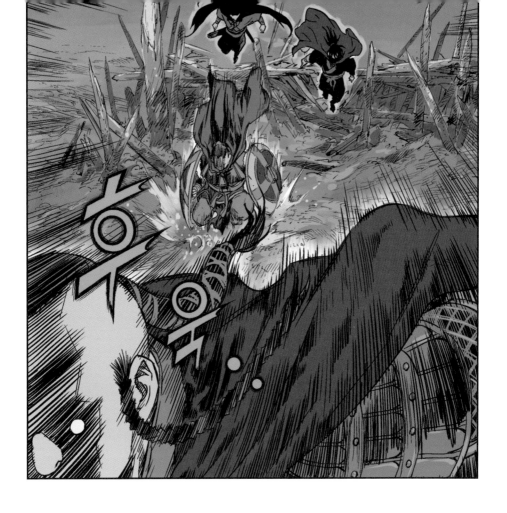

이상하군⋯.

이 정도 난리가 났으면
뭔가 반응이 있어야
정상일 텐데.

여기까지 오는 동안
살기는커녕 인기척조차
느낄 수 없다니⋯.

암살에 특화된
집단이니 뭔가 꿍꿍이가
있을지도 모르지.

좀 더
올라가보자고.

없어.
아무도 없어.

숙소로 보이는
곳들도 죄다
텅 비었어.

⋯⋯

우리가 온다는 정보가
새 나간 건가?

그렇다 해도
백마곡 살수들이
설마 이렇게까지
겁쟁이들일 줄이야⋯.

윽?!

꿀럭

꿀럭

함정이다!
피햇─!

?!

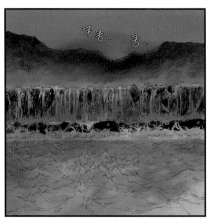

......·

가자!

옛!

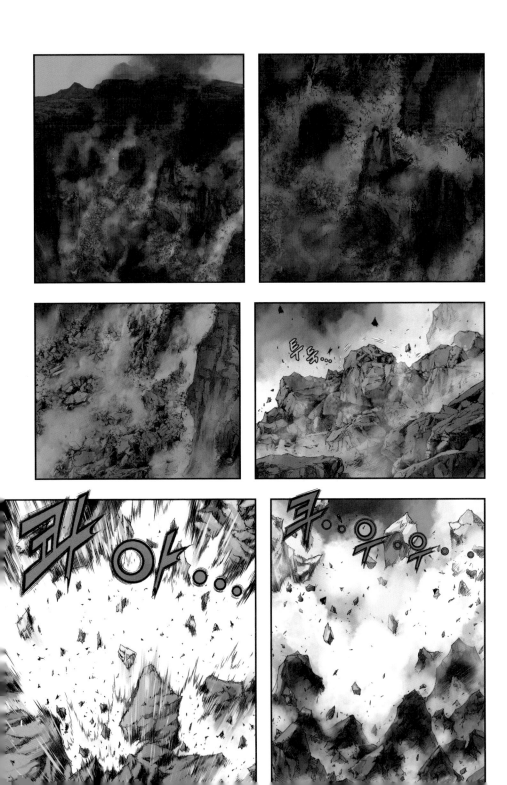

콜록···.

휴우.

은거지를
날려가면서까지
우릴 환영해주다니.

생각했던 것보다
맘에 드는 놈들인데?

……

쾅

이 생쥐 같은 놈들!
끝까지 찾아내서
마지막 한 놈까지
씹어버릴 테다ㅡ!

……

쾅

쾅

으아아악.. 쿵 쿵..

퍼억...

우린 먼저 가자고.
화 풀리면
알아서 오겠지….

…예린?

끄응…

짹! 짹! 짹! 짹!

뭐 해?

......

새끼가 여기 빠졌다고?

응

삐이..

으응, 저기 있네.

삐이..

뻐! 앙!

나 배달 마치고 올 때까지 기다리지 그랬어.

그러려고 했는데 얘들이 하도 극성을 부려서….

나 혼자 어떻게든 될 줄 알았지.

날 수 있을 때까지 안 떨어지도록 조심해, 이 녀석아.

나한테 뭐 할 말 없어?

있지!

이것도 일단 댁이 도움 요청을 한 거니까 왕만두 한 판은 주셔야겠어.

그런 거 말고.

고민 상담 같은 거 말이야.

없는데, 왜?

아니, 그냥….

휴우.
알았어….

대신
다른 사람들한텐
말하지 마!

실은, 날이 갈수록
점점 궁금해져서
견딜 수가 없어.

뭐가?

입이!

……

하라며,
고민 상담….

그냥
죽어.

하아암.

얘는 금방 온대놓고
왜 이리 늦는 거야?

123

125

그…랬군.

그렇게
된 거였어!

죄, 죄송합니다,
손님.

어디 다친 데는 없으신지….

음, 괜찮소.

나가.

여기서 나가!

……

빨리!

……
…….

오해는 마시게.

그저 내 주술을 깨뜨린 자가
누군지 추적하다 우연히
여기까지 오게 된 것뿐이야.

그럼…

참.

혹시 나 때문에
다른 곳으로 갈 생각이라면
그럴 필요 없네.

펄럭…

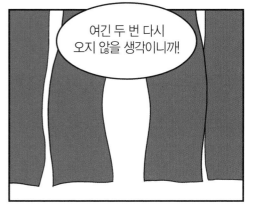

여긴 두 번 다시
오지 않을 생각이니까!

......

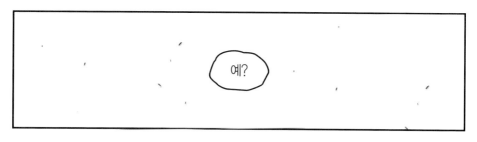

예?

누가…
다녀갔다구요?

131

환술이네!

어, 뭐?

같은 얼굴인데 본 사람마다 다 다른 얼굴로 기억한다며?

그런 걸 할 수 있는 사람이면 환술사 중에서도 굉장히 뛰어난 사람이야.

근데 지금 누구 얘기하는 거야?

환술…사?

134

바래다줘서 고마워요!

잘 가ー!

배고프지? 빨리 와서 앉아.

점장님은?

안 드신대.

......

내 친엄마를 죽게 만들었다는 사람.

…일 거야, 아마.

낮에 엄마가 만났다는 사람.

물어본 건 아니지만,

엄마가 저런 반응을 보이는 건 그 사람과 관련된 일이 있을 때 뿐이거든.

그게 궁금한 거지?

아니…, 난 아무 말도 안 했는데요.

……．

근데…
누군데, 그 사람이?

몰라.

내가 아는 건
그것뿐이야.

물어봐도
그 이상은
말 안 하셔.

그 사람이
환술사란 건…．

나도 몰랐어.

그런데 아까
손님들이 하는 말
들어보면 그런 것 같네.

뭐 또
궁금하신 건?

궁금한 거
없다니까.

후루룩
후루룩

……

그나저나 이번엔 또 어디로 떠나려나…

떠나? 누가?

누구긴 누구야, 우리지.

나 어렸을 땐 '그 사람'에 대한 낌새만 있어도 야반도주 하듯 이사 다니는 게 일이었어.

그런데 이번엔 직접 맞닥뜨렸다고 하니, 뭐…

아~. 이 동네는 정이 많이 들었는데. 아쉽다ㅡ.

아직은 어떻게 될지 모르지만 간다면 너도 같이 갈 거지?

어? 아…, 그, 그건 아직 생각 안 해봤는데. 나도 가야 되는 건가?

뭐야. 너 나한테 장가온다며.

그럼 당연히 같이 가야지.

제…, 제가 그런 말까지 했던가요…?

쿵

마년…

할 일만 끝나면 평생 내가 만든 만두 배달하면서 살고 싶다며?

그게 그런 뜻 아니었어?

아….

그건 그러니까 일단 내가 해야 될 일부터 끝내야 되는데….

아, 무, 물론 당연히 그렇게 살고 싶지만 그때까지 내가 무사히 살아 있을지 어떨지도 모르고, 또….

뭐래, 이 뚱땡이가.

버벅거리지 말고
똑바로 얘기 못해?!
따라갈 거야, 말 거야?!

......

......

저기가
황룡산인가.

음.

파천신군의 마지막 제자라….

천폭성 엽패

천용성 곽소종

과연 소문만큼 대단한 놈인지 한번 볼까?

141

참, 들었나?
백마곡으로 간 쪽은
허탕쳤다는 소식.

아아….

자객 집단 주제에
상대의 힘을 간파할 정도의
현명함은 있는 모양이군.

음!

파앗

콰 콱 ··

제령왕 환사님의
전언입니다.

이 시각 이후,
누구든 황룡산으로의
접근을 금지하니,

두 분은 즉시
파천문으로 복귀하라
하셨습니다!

!

뭣?!

이 일은 무존께서
허락하신 일이다!
제령왕은
그 점을
알고 계시는가!

속하는 전달 받은 말씀만
전해 드릴 따름입니다.

......

흐아아암.

......

146

백마곡의 개입만
아니었다면,

도리어 놈들을 척살할
최적의 무기가
될 수 있었을 것을…

……

나는 오늘…,

내 손으로 키운
재목 하나를 잃었다.

같은 날 2명씩이나
잃고 싶진 않구나.

……

우리 가게 손님들한텐
구걸 금지야.

그거 줄 테니까
딴 데 가서 놀거라~.

후….

울고 싶은 놈 뺨을 때리는군, 이 돼지가….

까분다, 또….

강룡—!

너한테도 할 말있으니까 잠깐 들어와봐.

！

응?

소진호—옹♡
안 돌아 올 것 같더니
돌아왔네?!
잘 왔어—!

곡주…,
당신이 왜
여기에….

……

백마곡에
들렸다 온 거구나.

안 그래도 지금
그 얘기를
하고 있는 중이야.
자, 들어와.

……

음?

!

여어—, 검귀!
오랜만이구먼!

팔은 어쩌다
다친 거야?!

…….

당신들 음식은
뭐만큼 시켜놓고
너무 오래 있는 거 아냐?

153

109화

대봉표국
은자 10만 냥과
비단 3천 필입니다.

저희에게 하남 지역의
물류를 독점할 수 있는
권한을 주신다면,

……

매년 같은 양의 진상품과
본 표국의 이익금 3할을
약속드리겠습니다.

하남 지역은 이미 칠성표국에서 그보다 좋은 조건으로 독점권에 대한 제의를 해왔네.

…아직 확답은 하지 않았네만.

만약 이익금의 7할을 낼 용의가 있다면,

그대들에게 우선권을 주도록 하지.

!

머칠 말미를 줄 테니 생각해보시게.

다음!

……

북촌 계림당 당주 왕부경이라 하옵니다.

157

찾으셨습니까.

파전분 본당을
중원으로 옮기는 일에 대해
반대한다 들었는데….

옮기는 일 자체는
반대하지 않습니다.

다만,
시기적인 문제라든가
몇 가지 걸리는 것이
있어서….

……

지금 맹세하고 있는 자들의 복종이 영원할 거라 생각해선 안 됩니다.

그들의 맹세는 단지 살기 위한 수단의 하나일 뿐.

힘의 균형이 반대쪽으로 기운다 판단되면 저들의 칼은 그 즉시 우리 쪽을 향하게 될 것입니다.

이미 예전에 한 번 겪어보지 않았습니까.

……

제가 구 무림 세력의 움직임을 주시하고 있는 이유가 바로 그 때문입니다.

그들의 실제 힘이 어느 정도인지는 모르니,

영향력만은 아직 무시할 수 없는 존재들이지요.

놈들이 나서게 되면
우리에게 복종을 맹세한 것들이
적으로 돌아설 수도 있다?

그래서…

고작 그따위 퇴물 늙은이들과
그것들에 빌붙을 쥐새끼들이
두려워서 중원으로 가는 걸
반대한다는 건가?

가능성이 없는 일은
아닙니다.

사형께서
두려워해야 할 대상은
존재하지 않습니다.

다만
싸우는 장소가
이곳이라면,
그들 대부분은
어느 한쪽을 선택하기보다
결과를 지켜보며 관망할 거란
말씀을 드리는 것입니다.

굳이 그런 자들까지
적으로 만들 필요까진
없겠지요.

만약
구 무림의 늙은이들이
움직이지 않는다면?

......

그들의 적통이라 할 수 있는
백마곡이 붕괴되었음에도
움직이지 않는다?

…하면,

스스로 자신들의
영향력을 소멸시키는 꼴이니
그건 그것대로 좋은 일입니다.

강룡이란 놈에게
접근치 말라 명한 것
또한…,

같은 맥락인가?

그것은…
좀 다른 경우 입니다만…,

놈의 주변인에 대해 알아볼 것이 있어서….
좀 더 정리가 되면 그때 말씀드리지요!

…….
그런가.

하나, 말했듯이 내 생각은 달라.

장애물이 있다 해서 돌아가는 방식은 패도의 방식이 아니지.

도 총관이 적당한 곳을 찾아보고 있으니 장소가 정해지는 대로 중원으로 옮기겠다!

!

단, 그때까지도 아무런 움직임이 없다면,

내 쪽에서 먼저 찾아 나설 것이야.

강룡이든 구 무림 늙은이들이든,

본좌의 뜻에 반하는 것들이라면 누구든,

마지막 한 놈까지 찾아내 소멸시켜버리겠다.

······

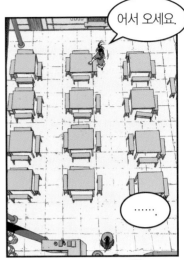

어서 오세요.

......

주문은 뭘로 하시겠어요?

여기 혹시 만두 배달하는 뚠뚠이는….

왕만두 3인분이랑 죽엽청 한 병만….

용이는 잠깐 볼일 보러 나갔는데….

배달 주문 하시게요?

아, 아니, 그건 아니고….

예, 금방 갖다드릴게요.

너는 무슨 쓸데없는 소리 하고 있어!

죄송해요, 언니...

......

재밌는 사람들이네.

뭐…?

천곡산이란 곳에 있다고, 그 두 사람이…?

응. 하지만 곧 중원 쪽으로….

믿을 수 있는 정보야?

혈비와 환사, 틀림없이 그 사람들이야?

그건 틀림없어.

168

그래…. 틀림없단 말이지. 천곡산이란 곳에….

가만, 그거 언제부터 알고 있었어?!

객점에 온 지 며칠이나 됐는데 왜 이제 알려주는 거야?!

백마곡이 공격당했기 때문이라고 말했잖아, 바보야!

조직력이 붕괴된 상태에서 수많은 첩보들을 취합하고 재확인하는 게 간단한 일인 줄 알아?!

……

그건…, 그렇겠네. 미안….

그러니까 들어봐.
아까 하던 얘길
계속하자면…,

지금 상황에서
네가 그 두 사람과 싸운다는 게
단순히 생각할 문제가
아니란 거야.

강호의 모든…
…자칫 모든 이들을
적으로… …때문에…
…들과 공조해서……

……
……
……

드디어…

찾았다!

170

강룡!

내 말 듣고 있는 거야, 지금?

어? …아…, 듣고 있어. 계속해.

그럼 내 말대로 천독산으로 가는 건 일단 보류하는 기다?

뭐야…?

내가 왜 그래야 돼?

뭐?

기껏 설명해줬더니…!

내 말은 안 듣고 무슨 생각 하고 있는 거야, 도대체!

쿠구…궁

설득이 쉽지 않을 것 같은데요.

차라리 어느 정도 준비가 되고 나서 알리는 게 낫지 않았을지.

여기가 아무리 벽지라곤 해도 어차피 조만간 알게 됐을 일이야.

……

두
두
두
두
두
두

......

...들었나?

황룡산으로
간 쪽도
허탕쳤다던데?

......

허탕이라기보다 제령왕께서 그곳으로의 접근을 금지시켰어.

내가 네 전령이냐?

계속 연무관에 틀어박혀 두문불출한 건 네놈이었잖아.

붕..

부웅.

…알고 있었군.

나한텐 언제 말해줄 생각이었어?

그럼 황룡산이란 곳에 있는 것이 파천신군의 제자라는 것도 알고 있었나?

이름이 강룡이라던가….

놈이 누구건 무슨 상관이야. 접근치 말라는 명이 내렸으니 따르면 그만이다.

너도 신경 꺼.

……

이거 어쩐다….

너는 모르지만 나는 상관이 있는 것 같은데…?

무슨 뜻이냐,

네가 찾고 있다던 자가 설마 그놈이란 뜻은 아니겠지?

쿡 쿡···

'우리'에게 있어서 명령은 절대적이다.

쓸데없는 짓을 하려 들면 네놈의 선입자로서 그냥 있지 않겠다.

오···, 무서운걸?

···충고는 고맙게 받아두지.

킥··

......

이 미친놈이···.

두

경고를 했음에도
내 말을 씹었단 말이지!

두

두

두

잘 먹었다.

탁

먼저 들어갈 테니
성리해놓고
늘어가거라.

……

엄마.

우리
이사 안 가요?

이사?

이사라. 흐음….

역시 이사를 가야 하려나….

하기 내가 그 인간의 말을 믿어야 할 이유가 없는데 말이야.

중얼…

……

…….

어쩜 이사 안 갈 수도 있겠는데…?

그러게.

후룩..

뭔가 심각한 얘기
하러 간 거 아니었어?
아까 낮에….

참,
어떻게 됐어?

어?
뭐?

으응….
찾았대,
나머지 두 사람.

그럼
가겠네?

언제 가?

드륵…

언제
갈 거냐고!

어…, 고, 곧,
아니, 조만간….

미안….

미안하면
가지 말든가.

갈 땐
말하고 가.

도둑놈처럼 또
몰래 빠져나가지 말고.

…응.

…왜 그래야 되냐고?

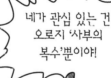

한 번쯤 다른 사람의
입장 같은 것도
생각 좀 해봐!

네가 관심 있는 건
오로지 '사부의
복수'뿐이야!

그 때문에
피해를 입을 수 있는
다른 사람들에 대한 건
전혀 관심 없지!
안 그래?!

그게 너희 파천문의 방식이야! 지금까지 그렇게 배우고 자라왔겠지! 파천신군이 살아 있었다면 자신을 꼭 닮은 제자를 보며 아주 자랑스러워하겠어!

사부님에 대해 뭘 안다고 그런 식으로 말하는 거야!

적어도…,

'그'로 인해
죄 없는 사람들이
얼마나 많이 죽었는지
정도는 알아!

이 사부는…,

패도를 추구함에 있어
무고한 자들이나 무림계에
적을 두지 않은 이들에겐
최대한 해를 끼치지 않으려
노력했느니….

진정한 의미의 패도란
그런 것이 아니겠느냐.

헐
헐 헐

거짓말….

......

이런 외진 곳에서 만두 배달이라니.

이해하기 힘든 놈이라니까….

내가 온 것을 알고 있을 테지.

나와라!

……

내가 잘못
느꼈나…?

분명 가까이에
누군가가….

......

이쯤이면
적당하려나….

누가
멈추라고 했나?

계속 걸어!

싫은데?

내가 왜 여기까지
순순히 따라왔다고
생각해?

……■

네놈…

정말
해보겠다는 거냐?

지용성
무명.

비록 시작부터 우리와 함께한 건 아니지만,

파천문에 귀의한 지 1년여 만에 무존으로부터 천곡칠살 중 한 명으로 인정받은 기재…

이해할 수가 없군.

이제 곧 천하를 지배할 지배자의 일원이 될 수도 있을 텐데,

왜 이제 와서 제 발로 뛰쳐나가려 드는 거지?

네겐 고작 개인적 은원을 해결하는 일 따위가,

다른 모든 것과 맞바꿀 만큼 중요하단 거냐?

그렇게 복잡할 것 없어.

나는 그저
내가 하고 싶은 일을
할 뿐이다.

소식이
걸림돌이 되면
떠나는 거고,
방해자가 막아서면
치운다.

간단한 논리
아닌가.

더 이상 대화는
소용없겠군….

……

어쩔 수 없지.

키
잉..

203

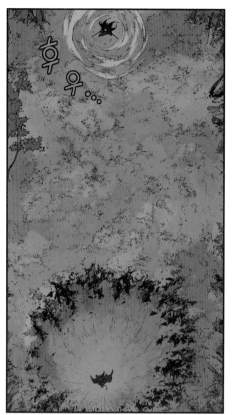

…….

잘못 느낀 게
아니었군.

가령에 의하면
파천문 소속의 두 사람이
이 근처까지 왔다가
알 수 없는 이유로
돌아갔다던데.

당신들이었나?

…….

후‥

이거 어쩐다….

한꺼번에 둘 다 상대하긴 좀 버거울 거 같은데.

쿡쿡.

그동안의 정을 봐서,

내가 저놈을 심대하는 동안 기다려주는 게 어때?

척...

헛수작 말아!

네놈이 할 일은 천곡산으로 가서 이번 일에 대한 죗값을 치르는 것뿐이다.

……?

다투고 있는
중인가…?

당신들,
파천문 소속이 맞디면
몇 가지 물어볼 게
있는데….

파천문이
있는 장소가….

환혼귀진대법

후계를
남기지 못하고 죽은
대마두들의 원령을
소환해,

현세의 수련자들에게
빙의시켜 무공을
전수받게 하는
금단의 주술.

빙의된 기간 동안
환골탈태에 이르는
혹독한 수련이
계속되지만,

수련이 끝나면
원령은 사라지고
그들의 무공은 수련자가
고스란히 이어받게 된다.

그러나 성공한다면
한 시대를 제패할 만한
무공을 갖게 되는 것이다.

제령왕이 선별한
수백 명의 기재들 중,
그 과정을 거치고도
살아남은 이는
불과 여섯.

다시 말해
그들은…,

현시대에 부활한
6명의 '파천신군'인
셈이다!

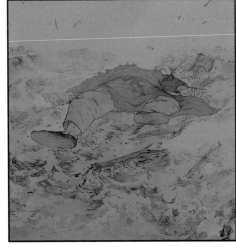

제령왕의 명이 있어 급소를 노리진 않았지만,

의식을 회복하려면 시간이 좀 필요할 거다.

네놈은 어떻게 하겠나?

기어코 피를 봐야겠나?

……

이봐….

거기 뒤에 누워 있는 저 뚱보 말인데….

그래봐도 한때
무림 최강이라 불리던 괴물을
쓰러트린 놈이다.

그런 어정쩡한 공격이
먹혔을 거라 생각해?

쿨럭.

윽, 크…!

아야야.

허구한 날
빈둥거리고
살만 찌우더니
꼴좋다, 이놈아.

쯧쯧쯧….

상대가 네놈을
얕잡아 봤으니 망정이지,
하려고 했으면 지금 일격으로
네놈은 죽었어.

중얼…

시끄럽게,
진짜….

특툭

후아…

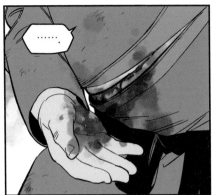

......

뚝 뚝

안 그래도
사나운 놈인데,

괜히 어설프게
자극만 한 꼴
아닌가?

질문만
한다고 했는데
다짜고짜
공격이라니….

거기다
쓰는 무공도
파천문의 무공이
아니고….

너희들…,
파천문 소속인 건
맞나?

그렇다!

아니라면
파천신군의 제자인
네놈을 죽이기 위해, 이 시각에
이런 곳까지 찾아올
이유가 있을까?

!

자, 어때?

기왕 이렇게 됐으니 지금이라도 양보하겠다면,

내가 저놈을 대신 상대해줄 수도 있는데….

큭 큭..

네놈은 닥치고 있어!

……

그렇단 말이지….

오늘은 별로
싸우고 싶은 기분이
아니지만….

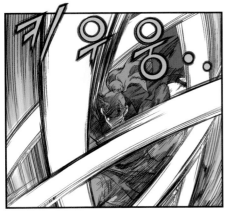

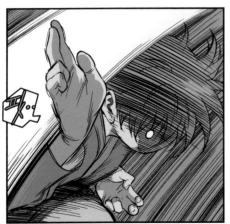

228

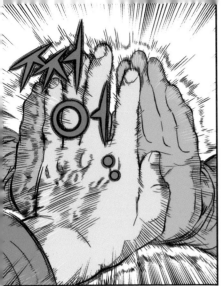

231

네놈···,
벌써 잊어버린 거냐.

112화

쿠…!

뭐야,
나까지 벨
생각인가.

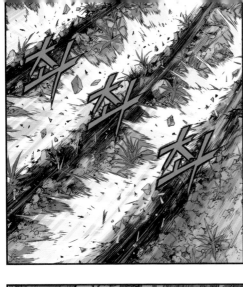
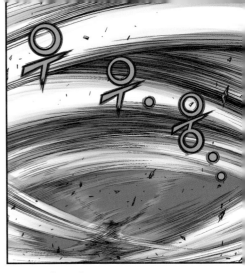

흥분하니까
동료고 뭐고
없구먼.

딱히 동료라 하기도
그렇지만….

피유우….

뚱보 놈은,

…설마 당한 건
아니겠지?

…파천신공을 모두
전수받고 나면,

네 털 오라기 하나조차
건드릴 수 있는 놈두
존재하지 않을 게다.

쳇…

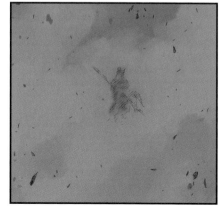

키릭··

츠섹

투툭··

후우···

도대체
어디까지가 진짜고
어디까지가….

직성이 풀리는 건
아니지만,

그대로
주저앉아 있겠다면
내 몸에 손을 댄 일은
이 정도로 넘어가주겠다.

그분께서
황룡산으로의 접근을
근한 것은,

아직은 네놈을
죽이지 말라는
뜻이었을 테니까.

……

아깐 죽이러
왔다더니
이건 또 무슨….

하..

뭐 좋아.
파천문 소속이라 해도
혈비, 환사 외엔
내가 꼭 죽여야 할 이유는
없으니까.

가고 싶다면 보내주지.
단, 그 두 사람에 대한
정보는 내놔야겠다!

이…
쓰레기가….

기껏 살길을
열어주려 했더니,
뭐가 어쩌고 어째?

……

후오…

그냥 보내준대도
화를 내면 나보고
어쩌란 거야.

다친 건 내 쪽이니
내가 더 손핸데….

퍼 억

그건 그렇고
저 뚱보 놈….

특이한 움직임을
보이는군.

계속 당하는 것처럼
보이면서 미묘한 간격의
차이로 상대의 공격을
흘려보내고 있어.

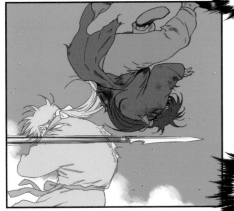

의도적 움직임인가,
파천신권의 원래 움직임이
저런 식인가.

그렇지만…

아니면 놈의
본능적인 움직임?

기습 공격을 당하고도
눈에 보였던 것만큼의
치명상을 입지 않은 건
저 움직임 때문인가.

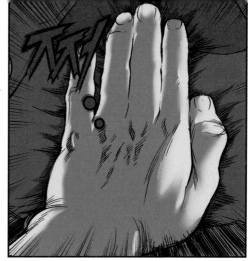

248

컷...!

파앗..

윽!

통.

!

콰 콱..

또....

이번엔 장력을 분출하는 도중에 손을 뺐어.

저런 게 가능한가...?

……

이 제운강의 몸에
두 번이나 손을
댔단 말이지…

후…

…하지만
상대가 안 좋아.

후웅··

훙··

창을 휘두르긴
힘든 자세였는데…

이자도 막사평과
같은 속임수를
쓰는 건가.

?!

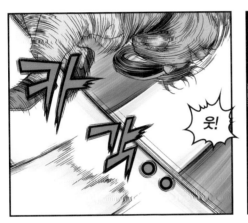

윗!

이건 도대체 어디서….

!

'움직임'만으로는 놈의 귀기 서린 창날을 전부 피하진 못해.

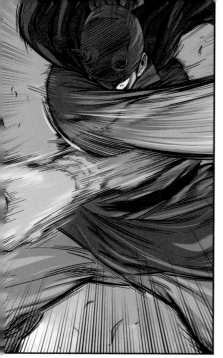

200년 전,
천하를 살육으로 물들인
쌍창의 도살자.

혈무신창
풍백.

잔인하고 무차별적인
그의 살육 행각에 분노한
정·사파 무림인들이
연합 토벌대를 결성해
단죄하려 했으나,

토벌대에 궤멸적 피해를 입힌 후,
유유히 사라져버린 희대의 괴물.

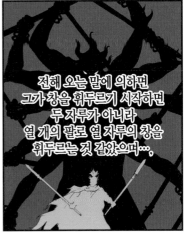

전해 오는 말에 의하면
그가 창을 휘두르기 시작하면
두 자루가 아니라
열 개의 팔로 열 자루의 창을
휘두르는 것 같았으며…,

창날이 날아드는
방향 또한
예측불허의
절묘함이 있어
마치 창을 든
거대한 당랑의 모습을
보는 듯했다 한다.

......

……!

이거 점점 재밌게 돼가는데?

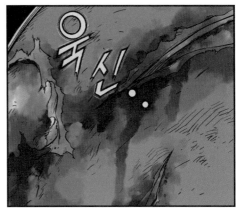

저건….

파천명륜공.

기공이냐.

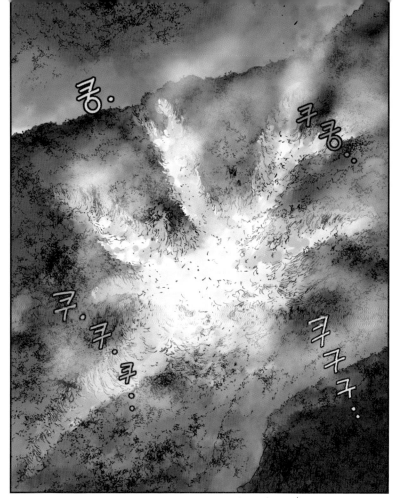

굉장하군⋯.

투둑‥

자각

파천신군의
직계 제자니
뭐니 하더니,

별로 대단한 것도
못 되는군.

네놈은 처음 내가
살길을 열어주었을 때
받아들었어야 했다!

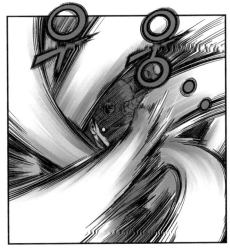

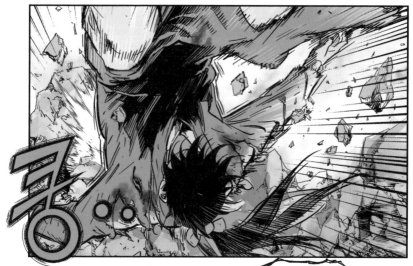

이 자식….

내가 이따위 꼴이나
보려고 여기까지
온 줄 아나!

당장 일어나지 않으면
숨통을 끊어버릴 테다!

야, 너….

이번엔 정확히 나를 겨냥한 거 맞지?

114화

오냐오냐 해줬더니
눈에 보이는 게
없어진 모양이구나.

이놈….

꾹꾹

어떻게 죽을지나
선택하라니까
뭔 X소리야….

안 할 거면….

네놈이 자초한 일이다.

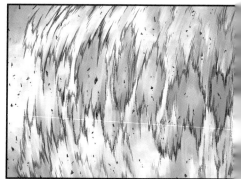

……!
내 창을 막았던 게
저 채찍이었나.

음흉한 놈인 줄은
알고 있었지만…,

그런 무기를
지금까지 용케도
감추고 있었군.

꺼낼 기회가 없었을 뿐이지
딱히 의도적으로 감춘 건 아냐.

아무튼…,

조금이라도 오래
버티려면 네가 가진
힘 전부를 쏟아내야
할 거다.

건방진 놈이
주제도 모르고….

어딜 갔나 했더니….

여기서 뭘 하고 있는 게냐, 용아.

쥐예요, 사부님.

위에서 떨어졌어요.

매란 놈이 물고 가다 떨어뜨린 것 같구나.

그런 건 먹지도 못한다. 썩기 전에 태워버리는 게 좋아.

그런데,

아직
살아 있어요.

!

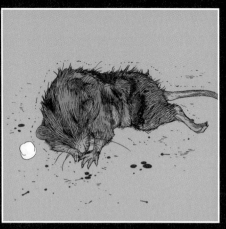

……,

야생에서
상처 입은 짐승은
어차피 살아남지
못한다.

그대로 두면
고통만 길어질
뿐이야.

고통 속에 천천히
죽어가게 두는 것보다
지금 죽이는 게
나을 수도 있어.

네가 결정해보거라.
어떻게 하고 싶으냐.

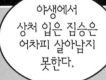

......

언제까지
누워 있을 생각이냐!

저런 잡객 하나
처리하지 못하다니.
그러고도 네놈이
이 파천신군의 제자라
할 수 있느냐!

썩 일어나지
못할까—!

......

그렇게 다그치셔도
소용없어요.

제가 약한 게 아니라
상대가 너무 강한 거라구요.
사부님도 보셨잖아요.

혈비와
환사는….

그들을 찾는 일도
포기할 생각인 게냐?

하면…,

…죄송해요.

......

그러게 왜
처음부터….

그러면
되었다.

네가 그렇게
결정했다면
그것으로 된 게야.

줄곧
말하지 않았더냐.
너에겐 이 길이
맞지 않다고.

기억하거라.

이 사부가
마지막에 한 말이
무엇이었는지….

사⋯부님?

…차라리
죽이라고 했으면
더 쉬웠을걸….

....

귀찮아….

복수고 뭐고 그냥
다 죽여버릴까?

이…놈…,
설마 이 정도의 힘을
숨기고 있었을 줄이야.

씨어노
준치라더니.

호..

음?!

?!

자박..

!

……
……

……

……
그래서…,

그게…
어쨌다는 거야….

다시 일어설 힘이
남아 있었나?!

…사부님이
바란 게 아니야.

내 맘대로 시작하고
내 맘대로 실망하고…

…그래놓고
이제 와서…
뭘 하고 있는 거냐,
나는….

……

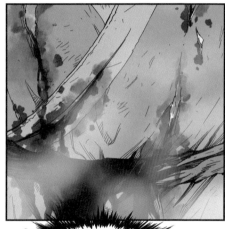

피를 너무 많이
흘려서 그런 건가….

300

정신이
나간 것 같은데,
이놈!

사부님이…
어떤 사람이건….

네놈들이 저지른 죄가
없어지진 않아.

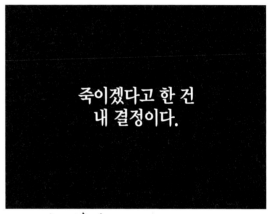

죽이겠다고 한 건
내 결정이다.

차
박...

......

얌전히 처박혀 있었으면
이 싸움이 끝날 때 까진
내버려두었을 텐데…

!

저놈은 내 거야!
손대지 마!

이….

너희들….

내가 죽이면 안 될
이유를 말해봐.

…없을 테지. 무림이란 그런 곳이니까. 강한 놈은 무슨 짓을 하든 용납되는 곳이니까…

안 그래?

이놈이고 저놈이고…

주제도 모르는 것들이 입만 살았구나!

쳐냈어?

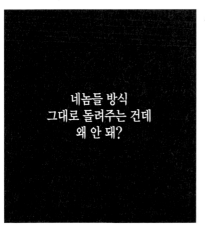

네놈들 방식
그대로 돌려주는 건데
왜 안 돼?

......

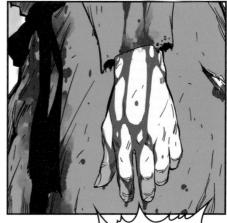

…아무리 봐도
서 있는 게
고작일 것 같은데.

어디서
저런 투기가…?

후욱…

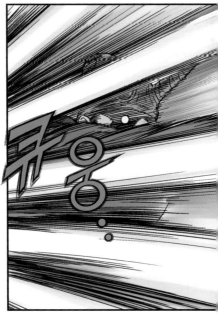

큐
웅…

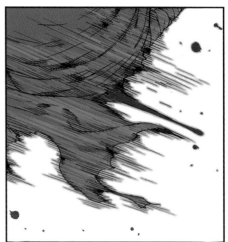

317

게다가
그토록 날렵한
움직임을 보이던
처음과 달리,

내 눈은 못 속여.
억지로 끌어올린 투기로
버티고는 있지만,

네놈은 지금
서 있는 게 고작이야.
그렇지?

피하기 어려운 공격이
아님에도 피하기보다
막거나 빗아치는
방식으로 응수한다.

치익….
이래서야 이놈을
짓밟는 의미가
없잖아.

…특별히
네놈에게
기회를 주지.

너를 죽이기에 앞서
우선 저 제운강이란
놈부터 처리해주겠다.

그리 오래 걸리진 않을 터.
그동안 할 수 있는 만큼
최대한 기력을 회복하도록.

운기조식을 하든
약초를 뜯어 먹든
방법은 네놈이 알아서 해.

......

너… 아까부터 뭔
알아듣지도 못할 말을
중얼거리고 있냐.

꺼걱…

싸울 맘이 없어졌으면
살려달라고 애원이라도
해보든지.

미련한 놈이….

말귀를 못 알아듣는다면 강제라도 주저앉혀주겠다!

뾱

322

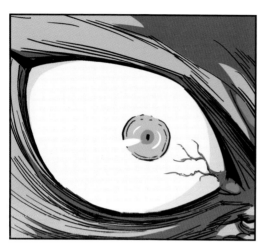

……

이 뚱보 새끼가….
기껏 선심을
베풀어주려 했더니….

이 무슨
터무니없는
기가…!

미친….
저 정도 크기의
공진이라니.

한 번의 공격으로
내력을 전부 소진할
생각인가.

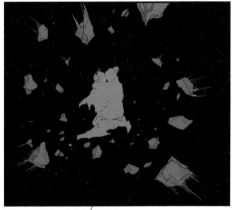

역겨운 것들…

그 몰골이 사람의 자식이긴 한 게냐!

어느 놈 씨인지도 모를 추물을 데려와 당주님의 자식이라 우기다니, 네년이 실성을 하지 않고서야.

이성을 잃었군, 제운강 저놈….

저 정도로 내력의 소모가 극심한 초식을 펼치면 이기더라도 제놈도 무사하지 못한다는 걸 모르나?!

…하지만,

뚱보 놈 역시 지금 상태에서 피하지 않고 저 공격을 받았다간 틀림없이 주화입마에 빠져버리게 될 거다!

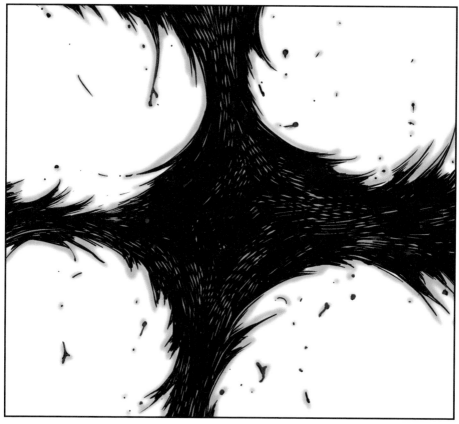

묵륜혼원공.

10권에 계속

고수 9

2023년 1월 25일 초판 1쇄 발행

저자   문정후 류기운

발행인   정동훈
편집인   여영아
편집책임   최유성
편집   양정희 김지용 김혜정 박수현
디자인   디자인플러스
본문편집   한상희

발행처   (주)학산문화사
등록   1995년 7월 1일
등록번호   제3-632호
주소   서울특별시 동작구 상도로 282 학산빌딩
편집부   02-828-8988, 8836
마케팅   02-828-8986

ISBN 979-11-6947-756-7
ISBN 979-11-6927-882-9(세트)

값 15,000원